Domitille de Pressensé

émilie
la mauvaise humeur

Mise en couleurs: Guimauv'

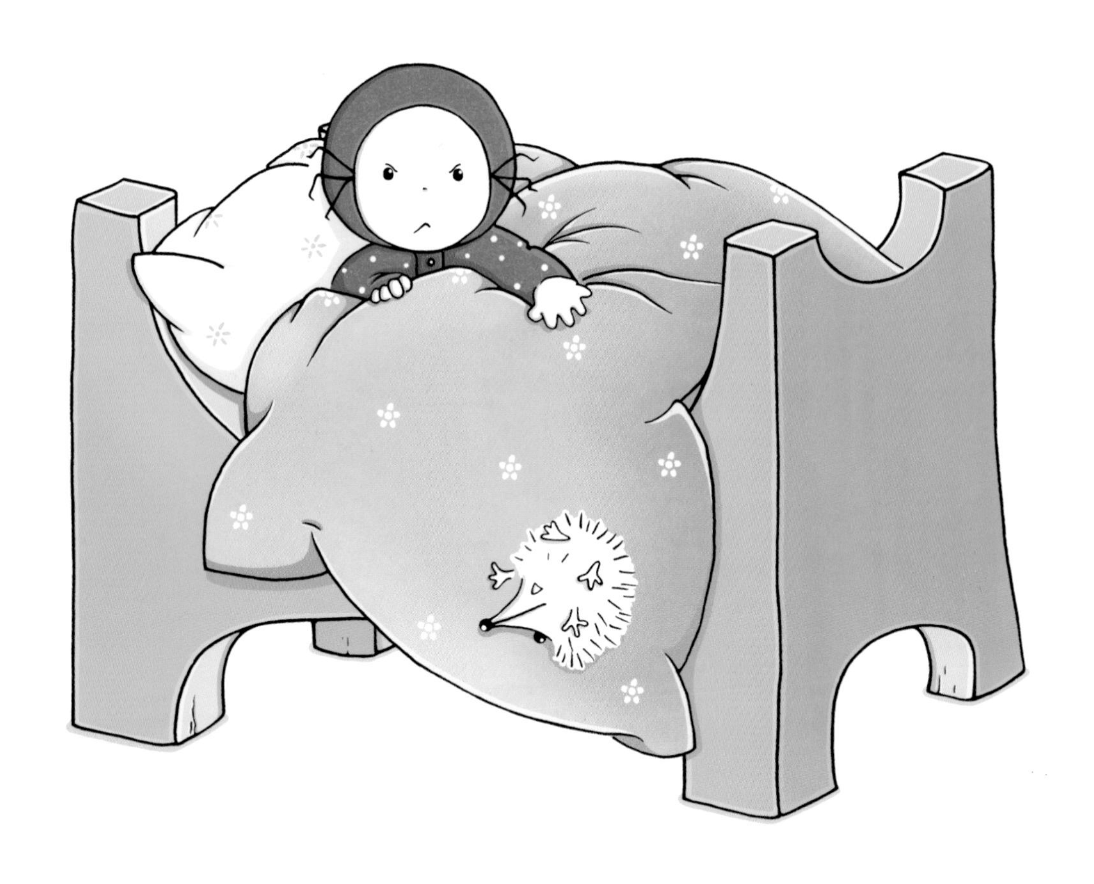

émilie se réveille
de très mauvaise
humeur.

elle se
trouve
une vilaine tête

et elle s'habille
n'importe comment
sans se laver
et ne met pas
ses chaussures.

en descendant
l’escalier,
elle glisssssse
sur ses chaussettes…

et tombe sur arthur
son hérisson.

émilie pleure
et dit que
c'est la faute
d'arthur !

t'es-tu
fait mal ?
demande maman.

émilie passe
devant maman
sans lui répondre
et va déjeuner.

elle trouve
la chaise trop haute
et ne veut pas
s’asseoir.

et puis
il n’y a pas assez
de sucre dans le lait.

son frère stéphane
lui donne un sucre.

voilà !

maintenant
c'est trop sucré !

émilie renverse
son lait sur la table

et tape
stéphane
en partant,

fait des grimaces
à sa petite sœur
élise

et dit à arthur
d’arrêter
de la suivre…

puisqu'il pleut,
je vais aller dehors,
dit émilie.

et comme
elle ne trouve pas
son imperméable,
elle prend
celui d'élise

et aussi
les bottes

de
stéphane.

heureusement
maman arrive
et enferme émilie
dans sa chambre.

émilie donne
des coups de pied
dans la porte
et crie très fort.

mais

personne ne vient
et elle a mal
à la gorge
et aux pieds

alors
elle se couche
sur son lit
et s'endort...

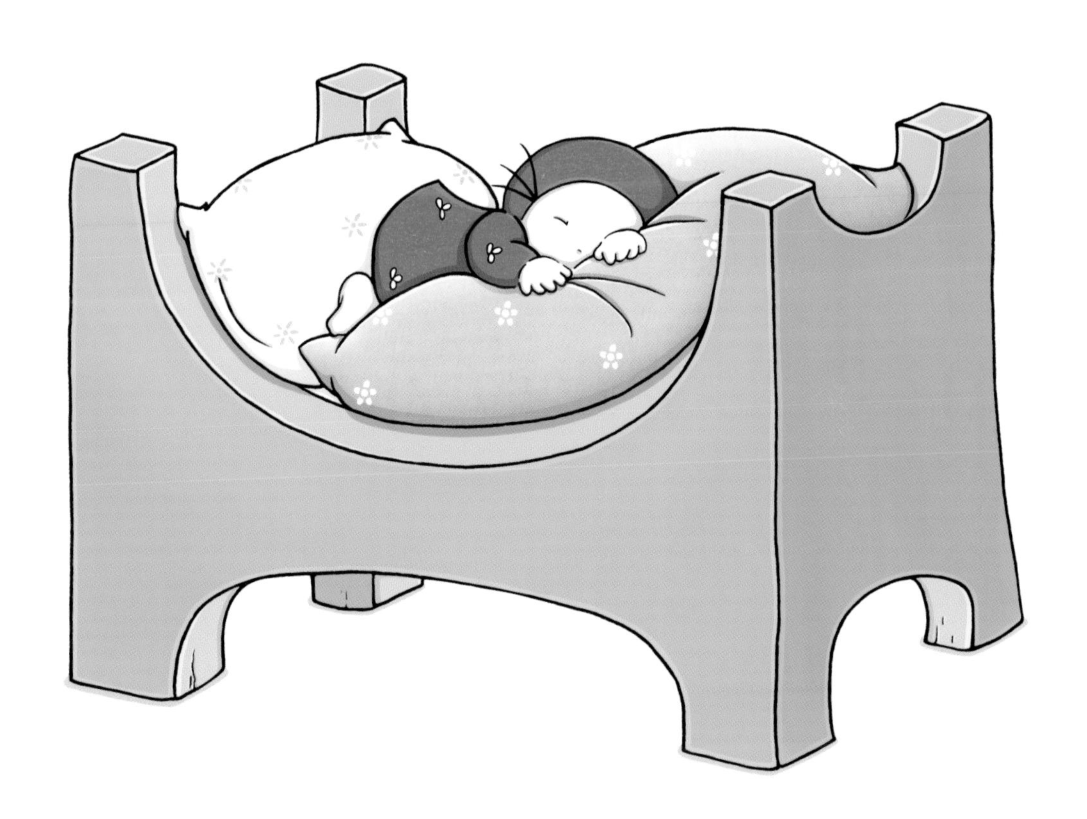

émilie se réveille
de
très bonne humeur.

est-ce que
je peux revenir ?
je suis devenue
gentille.

www.casterman.com

ISBN 978-2-203-01428-2
Achevé d'imprimer en avril 2010, en Italie par Lego.
Dépôt légal mars 2008; D 2008/0053/146
Déposé au ministère de la Justice (loi n° 49.956 du 16 juillet 1949 sur les publications destinées à la jeunesse).